MULAN
et
LE CRIQUET PORTE-BONHEUR

C'est une nuit paisible. La neige recouvre la maison d'un épais manteau blanc, et à l'intérieur règnent la chaleur et la sérénité.

Le père de Mulan, Fa Zhou, est assis à la table, tandis que sa mère, Fa Li, reprise à la lueur de la bougie. Mulan discute tranquillement avec Grand-mère Fa tout en faisant la vaisselle.

Tout à coup, Grand-mère Fa fait accidentellement tomber un bol sur le sol.

— Quelle malchance ! s'exclame-t-elle.

À ce fracas, le père de Mulan brûle par mégarde son parchemin et Fa Li se pique le doigt avec une aiguille.

— Malédiction ! dit Fa Zhou, en étouffant la flamme de son parchemin.

— Aïe ! Je n'ai pas de veine !
crie Fa Li au même moment.

— Trois accidents malencontreux, dit Grand-mère Fa. C'est le signe que quelque chose ne va pas.

Mulan lève la tête.

— Oh non ! s’écrie-t-elle. Notre criquet porte-bonheur n’est plus dans sa cage !

— Où a-t-il bien pu aller ? demande Grand-mère Fa en inspectant toute la pièce.

Mulan pousse le battant de la fenêtre pour l'ouvrir. Elle distingue de minuscules empreintes de pas dans la neige.

— Je dois le retrouver, dit-elle. Cri-Kee ne survivra jamais dans ce froid.

La jeune femme enfile son manteau le plus chaud et court jusqu'au temple des ancêtres.

— Dépêche-toi Mushu. Nous devons récupérer Cri-Kee. Il doit être perdu dans la neige, dit Mulan.

— Elle est malade la bonne dame ? rétorque le dragon, pelotonné sur son piédestal. Il fait un froid de canard dehors !

— Mais nous sommes ses amis !

— Amis ? réplique Mushu. À part contrecarrer mes plans, ce criquet n'a jamais rien fait pour moi.

— Ne sois pas si obtus et viens, le temps presse ! répond Mulan.

Maugréant dans sa barbe, Mushu finit par suivre la jeune fille à contrecœur dans la neige.

Les deux amis suivent avec soin les petites traces de pas. Tout à coup, Mushu se met brusquement à éternuer.

— Mushu ! s'exclame Mulan. Tu as fait fondre la neige. Nous avons perdu la trace de Cri-Kee !

— Oh excuse-moi ! dit Mushu. Ce n'est pas de ma faute si je suis un dragon qui crache du feu. C'est juste pas de chance !

— Ce n'est pas si grave, répond Mulan. Je me demande quand même pourquoi Cri-Kee est sorti dans la neige.

— Ce petit criquet déteste le froid autant que moi, dit Mushu en se radoucissant.

Mulan acquiesce.

— Donc s'il est sorti par ce temps, c'est peut-être parce qu'il…

— … est venu en aide à quelqu'un ! s'écrie le dragon.

Pendant que Mulan et Mushu continuent leurs recherches, de gros nuages obscurcissent le ciel et la lune. Il devient difficile de voir devant soi. Mushu grelotte.

— Le temps n'est vraiment pas en notre faveur, dit Mulan. À présent, nous n'avons plus aucun moyen de retrouver les traces de Cri-Kee.

C'est alors que Mushu lève la tête. Prenant soin de ne pas faire fondre la neige, il crache de petites flammes dans les airs pour que Mulan puisse retrouver les traces sur le sol.

— Quelle aubaine, regarde ! s'exclame-t-elle. Les pas de Cri-Kee !

Mais quelques mètres plus loin, la piste disparaît subitement.

— Comme c'est étrange… s'étonne Mulan.

— Par ici ! dit Mushu. Te souviens-tu à quel point notre ami sur ressorts adore sauter ?

Mulan lève les yeux et aperçoit les traces qui se dirigent dans une grotte.

Très rapidement, Mulan et Mushu commencent à creuser dans le banc de neige en appelant leur ami Cri-Kee.

À l'intérieur de la grotte, on entend tout à coup un minuscule gazouillis – puis une faible voix appeler :

— À l'aide !

Mulan et Mushu réussissent enfin à dégager la neige de l'entrée de la grotte et découvrent Cri-Kee et Lei Lei, une des petites filles du village, seuls en train de trembler de froid.

Mulan et Mushu se précipitent dans la grotte et arrivent auprès de leurs amis.

— Que fais-tu ici, Lei Lei ? demande Mulan.

— Je ramassais du bois pour le feu dehors. Puis je suis entrée dans la grotte, mais une grosse bordée de neige est soudainement tombée et a bloqué l'entrée, répond la petite fille. Je n'ai pas cessé d'appeler à l'aide, mais personne ne m'entendait.

— Réchauffons-nous quelques instants, et après nous pourrons rentrer à la maison, dit Mulan alors que Mushu allume un feu. Cri-Kee, comment as-tu su que Lei Lei était ici ?

Cri-Kee se met à agiter ses pattes et à remuer son derrière. Mulan secoue la tête en signe d'acquiescement.

— Ne l'écoute pas, dit Mushu en tenant son ami dans sa patte. Il n'y a qu'une seule raison pour laquelle nous sommes tous sains et saufs ! La seule explication…

… c'est que Cri-Kee est un véritable petit porte-bonheur !